D0835811

Collection folio benjamin

*Pour Stuart M
et Sally L*

ISBN-2-07-039091-8
Titre original : The Bear's bicycle
Publié par Little, Brown and Company.
©Emilie Warren McLeod, 1975, pour le texte.
©David McPhail, 1975, pour les illustrations.
©Éditions Gallimard, 1983, pour l'édition française.
Numéro d'édition : 31969.
Dépôt légal : Septembre 1983.
Imprimé en Italie.

La bicyclette de l'ours

texte de
Emilie Warren McLeod
illustrations de
David McPhail

RETIRÉ DE LA COLLECTION
DE LA
BIBLIOTHÈQUE DE LA VILLE DE MONTRÉAL

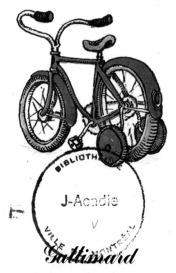

BIBLIOTH
J-Acadie
V
VILLE MONTRÉAL

Gallimard

Chaque après-midi, nous allons
faire un tour à bicyclette.

Avant, je vérifie que les pneus
sont assez gonflés,
que les freins fonctionnent et
que les pédales tournent bien.

Puis, j'enfourche ma bicyclette. Au bout du chemin, je regarde à gauche et à droite.
Je signale de la main que je tourne.

Quand j'ai besoin de traverser la rue, je descends de mon vélo. Je regarde des deux côtés. Si aucune voiture n'arrive, je traverse en poussant mon guidon.

Sur le trottoir, je me méfie des portières de voiture.

J'évite les bouteilles cassées
et les détritus.

Je m'approche doucement des chiens pour ne pas leur faire peur.

Quand je rencontre une autre
bicyclette, je reste bien à droite.

Et quand je double des piétons, j'actionne ma sonnette pour qu'ils ne restent pas sur mon chemin.

Dans les descentes, je ne roule
pas trop vite...

... et je freine quand il y a un stop.

Je rentre toujours avant la nuit.
Je range ma bicyclette.

Je frotte mes pieds sur le paillasson
avant de rentrer dans la maison...

... où m'attendent un grand verre
de lait, des petits gâteaux...

... et une bonne nuit.

Emilie Warren McLeod vit dans la banlieue de Boston, aux Etats-Unis. Elle a cinq bicyclettes dans son garage, trois enfants devant son réfrigérateur et deux chiens sous la table de la salle à manger.

David McPhail a grandi à Newburyport, une petite ville de la côte Atlantique, dans le Massachusetts. Il a passé beaucoup de temps à jouer tout seul, dans les bois et les champs proches de sa maison. Il a voulu devenir, tour à tour, joueur de baseball professionnel, vedette du Rock-and-roll, peintre et, plus récemment, fermier. Il aime courir, marcher, lire et passer des nuits blanches à discuter avec ses amis.

Actuellement, il vit toujours au bord de l'Atlantique, à Rockport, où il aime les incessants changements de temps. De David McPhail, nous connaissons déjà *La Dent de l'ours* (Premiers Albums, Gallimard).

Des histoires par très sérieuses
pour les benjamins qui aiment bien rire